本篇故事根据克里斯蒂·奥俄女士讲述
的一个平安夜故事改写。
特此致谢！

中国风·儿童文学名作绘本书系

徐 鲁/文 李江湧/绘

老人和狗

图书在版编目（CIP）数据

老人和狗 / 徐鲁文；李江湧绘. —— 太原：希望出
版社 （2016.7重印）
（中国风·儿童文学名作绘本书系）
ISBN 978-7-5379-7277-2

Ⅰ.①老… Ⅱ.①徐… ②李… Ⅲ.①儿童文学 – 图
画故事 – 中国 – 当代 Ⅳ.①I287.8

中国版本图书馆CIP数据核字(2015)第083311号

出 版 人：梁　萍
项目策划：王　琦
责任编辑：田意可　陈彦玲
复　　审：田俊萍
终　　审：王　琦
美　　编：郭丽娟
封面设计：半勺月
装帧设计：昭惠文化
印刷监制：刘一新　尹时春

出版发行：希望出版社
地　　址：山西省太原市建设南路21号
邮　　编：030012
经　　销：全国新华书店
印　　刷：山西臣功印刷包装有限公司
开　　本：889mm×1194mm　1/16
印　　张：2.75
版　　次：2015年9月第1版
印　　次：2016年7月第2次印刷
书　　号：ISBN 978-7-5379-7277-2
定　　价：32.80元

老人和狗

徐 鲁/文　　李江湧/绘

一个飘着雪花的夜晚，老人在和陪伴了
他多年的狗告别……

希 望 出 版 社

"我不会忘记你的。可是我老了,不能再
照顾你了,请原谅我吧。"

狗好像没有听懂老人的话,把头歪向一边,用奇怪的眼神看着老人,轻轻地、缓缓地摇着尾巴。

　　"唉!我是说,我不能再照顾你了,对不起,从今以后,你要好好地自己照顾自己了!"老人抚摸着狗。

"我已经很老了,很快就得搬到老年公寓去住了。非常抱歉哦!你不能跟我一起去那里住。你知道,那里不准带狗进去呢。"驼背的老人弯下腰,依依不舍地抚摸着狗。

"不过，你不用担心，我会为你找到
一个非常好、非常可靠的新家。"

"对了，你长得这么可爱，所以你根
本不用担心，谁看见你，都会喜欢你的。"

这时,狗更加用力地摇着尾巴,在小小的客厅里走来走去。它好像有点焦躁不安,因为它明显地觉察到了一点什么。

　　"请过来一下,亲爱的朋友。"

　　老人费了好大的劲,缓慢地蹲下身,几乎是跪在地板上,把狗搂抱在自己身边。他把一根红色的带子,小心地系在狗的脖子上,然后又在上面挂牢了一个小纸牌。

狗当然不知道那上面写着什么。

"唉，你从来就不认识字，让我告诉你吧，那上面写着……"老人给狗读着小纸牌上的文字，"新年快乐！我的名字叫阿黄。我平时喜欢吃一点咸肉、鸡蛋、土豆泥。我一天只进两餐。我将成为您最忠实的朋友。"

“你听懂了吗？我是不是还有什么没有交待清楚呢？”

老人似乎在询问着狗。可是,狗仍然迷惑不解,眼睛里露出了请求的目光。

　　老人缓缓地站起身来,坐在了椅子上。
他扣上风衣的扣子,然后轻轻抚摸着狗脖子
上的皮带,说:"请过来吧,我的老朋友。"

　　老人牵着狗,走出了家门,迎着晚风,站
在外面。

　　黄昏已经来临了……

　　这时候,狗用力向后拽着,不肯往前走。
是的,它不想出去。
　　"这样做没有用的,你必须离开我了!
你不要让我为难啊!我向你保证,你与别人
在一起,一样会生活得很好的。"老人喃喃
地说着。

大街上一个人影也没有。
天空开始飘起薄薄的雪花。

老人和狗，在寒冷的黄昏里慢慢地走着……

　　人行道，树木，房子，街灯，很快都覆盖上了洁白的雪花。

　　走了一会儿，他们来到一所老房子前。

　　房子周围的大树被风吹得摇摇晃晃的，发出呼呼的声音。

　　橘黄色的灯光，透过老房子的每一扇窗户照耀出来。人们庆祝新年的欢声笑语，正从晚风中轻轻地传过来。

　　"唉,就是这里了。"老人弯下腰,给狗解开
了皮带,轻轻地推开了那家的院门。

　　"去吧,我亲爱的朋友,走上台阶,去挠一
挠门,要轻一点哦!"

狗先是看了一眼老房子,又看了看正在望着它的老人,然后再去看那所大房子,喉咙里发出了哭一般的呜咽声。

　　"去吧,不要害怕,亲爱的,他们会喜欢你的!"老人亲昵地推了狗一下,"你必须离开我了。"

　　狗这时候似乎已经明白,老人不再要它了。

　　它慢慢地朝老房子走去,踱上了
台阶,然后用爪子轻轻地挠着前门。
　　它回过头望了望,看到老人走到
了一棵树后。

　　这时，有人打开了门把手。是一个小男孩站在了门口。

　　当他看到狗时，突然张开双手，惊喜地喊："哦，太棒了！太棒了！爸爸、妈妈，你们快来看啊，我们家来了什么客人！"

老人躲在树后，透过泪眼看着这一切。

小男孩的妈妈正在读那个小纸牌。然后，亲热地把狗牵了进去。

这时候，老人用衣袖擦了擦眼睛，笑了。他喃喃地说："祝你们幸福，我最亲爱的朋友！"

然后，他佝偻的身影，慢慢消失在雪花轻飘的、新年的夜色里。

【作者简介】 徐 鲁

希望出版社合作作家，著名诗人、作家、书评人，现任湖北省作家协会副主席。